Régine Boutégège - Susanna Longo

UN BILLET

POUR LE COMMISSAIRE

Rédaction : Domitille Hatuel
Conception graphique : Nadia Maestri
Mise en page : Emilia Coari
Illustrations : Mario Benvenuto

Pour toute suggestion ou information la rédaction peut être
contactée :
redaction@cideb.it
http://www.cideb.it

ISBN 88-530-0063-5 livre
ISBN 88-530-0064-3 livre + CD

Imprimé en Italie par Litoprint, Genova

SOMMAIRE

Ce symbole indique les exercices d'écoute et le numéro de la piste.

DELF Les exercices qui présentent cette mention préparent aux compétences requises pour l'unité indiquée.

1

DES SIGNES MYSTÉRIEUX

BONJOUR, Monsieur Louis. *Le Figaro*, s'il vous plaît... et donnez-moi aussi *L'Express* et *Le Point*.
– Voilà, Monsieur le commissaire. Alors, vous avez le temps de lire, hein, maintenant. C'est beau, la retraite [1]!

– Oui, j'en profite. Je vous dois combien?»

Le commissaire Grasset n'a pas envie de bavarder [2] ce matin, il fait beaucoup trop froid.

«3 et 3, 6, et 2 € pour *Le Figaro*... Ça fait 8 €, Monsieur le commissaire. Ah, ça doit quand même vous manquer, le bureau, les collègues, les meurtres ! Tout arrêter, comme ça !»

Le commissaire farfouille [3] dans son portefeuille :

«Je suis désolé... je n'ai qu'un billet de 200 euros.

– Ça ne fait rien ! Je vais vous le changer... Et puis, dites, vous n'allez pas me refiler un faux, j'espère !»

Le marchand de journaux :

«Voilà, 50, 100, 150, qui font 200. Ils sont vrais,

---

1. **la retraite** : moment où on cesse de travailler quand on a un certain âge.
2. **bavarder** : parler, discuter.
3. **farfouille** : (fam.) il fouille, il cherche.

UN BILLET POUR LE COMMISSAIRE

Monsieur le commissaire, vous pouvez être tranquille !
Ah ! Ah !... Bonne journée !

– Merci, au revoir, Monsieur Louis.»

Le commissaire Grasset est pressé de rentrer chez lui, de mettre ses pantoufles, de se laisser tomber sur le divan, et de lire. Subitement, il s'arrête net : «Zut, j'allais oublier !». Vite, il traverse la rue et entre chez le fleuriste.

«Bonjour, Monsieur le commissaire... Qu'est-ce qui vous amène ici ? Il n'y a pas d'assassins, ici, hein... et puis, dites, vous avez fini de leur courir après !

– Bonjour... Heu... je voudrais un bouquet, une douzaine de roses. Vous les ferez livrer chez moi, vers midi... C'est notre anniversaire de mariage...

– Ah, elle en a de la chance, votre femme ! Regardez ces belles roses rouges. Ça va la rendre amoureuse comme au premier jour !

– Oui, elles sont magnifiques. Alors, vers midi... Je vous dois combien ?

– 25 euros, avec la livraison [1].»

Le commissaire ouvre son portefeuille, sort un billet de 50 euros, le tend au fleuriste, quand il remarque quelque chose d'étrange, comme des signes sur le billet.

«Attendez... tenez, j'ai le compte... Voilà, 25 euros.

– Au revoir, Monsieur le commissaire.»

Une fois dans la rue, le commissaire Grasset considère avec attention le billet. Ces signes, on dirait des chiffres.

---

1. **la livraison** : remise d'un objet à domicile.

UN BILLET POUR LE COMMISSAIRE

Une poussière noire reste collée à ses doigts. Il s'essuie à son mouchoir et hausse les épaules en souriant : «Décidément, je vois du mystère partout ! C'est une déformation professionnelle !...»

Un peu plus tard, il est tranquillement assis dans son fauteuil quand sa femme l'interpelle :

«Dis donc, chéri, tu as consolé une jolie blonde, ce matin ?» Sarcastique, elle tient à la main un mouchoir.

«Comment ? Qu'est-ce que tu racontes ? Et qu'est-ce que tu fais avec mon mouchoir ?

– Ton mouchoir, je vais le laver. Mais j'aurai du mal à enlever ces taches de rimmel... et je me demande comment elles sont arrivées là !

– Du rimmel, tu en es sûre ? C'est bizarre !»

Le commissaire Grasset se lève d'un bond, va prendre sa veste dans le placard [1], retire du portefeuille le billet de 50 euros. Il regarde de plus près les chiffres écrits au rimmel. Il va vers le téléphone et forme le numéro du commissariat :

«Allô, Vignot ? Ici Grasset. Écoute, je sais que je suis à la retraite, mais j'ai besoin d'un renseignement. Cherche un peu s'il y a un abonné au numéro... attends... j'ai du mal à lire... 01.41.56.87.99. Non, ne pose pas de questions ! Je t'expliquerai plus tard. Rappelle-moi dès que tu sais quelque chose.»

Le commissaire Grasset raccroche [2], le mystérieux billet de 50 euros à la main, devant sa femme interloquée...

---

1. **le placard** : armoire fixe, encastrée dans un mur.
2. **raccroche** : repose le téléphone pour interrompre la communication.

Compréhension orale

DELF
UNITÉ A1

1 **Écoutez et cochez les bonnes réponses.**

1. Le numéro que l'on entend est
- **a.** ☐ le 01 44 56 78.
- **b.** ☐ le 05 44 56 78.
- **c.** ☐ le 01 45 55 78.

2. La personne qui répond au téléphone s'appelle
- **a.** ☐ Madame Grosset.
- **b.** ☐ Madame Jasset.
- **c.** ☐ Madame Grasset.

3. La personne qui téléphone s'appelle
- **a.** ☐ commandant Nimier.
- **b.** ☐ commandant Dimier.
- **c.** ☐ commandant Vivier.

4. Cette personne annonce à son interlocutrice
- **a.** ☐ qu'on a volé sa voiture.
- **b.** ☐ qu'on a retrouvé sa voiture.
- **c.** ☐ qu'on a tamponné sa voiture.

5. La personne au bout du fil répond que
- **a.** ☐ cela n'est pas possible.
- **b.** ☐ cela est impossible.
- **c.** ☐ cela est tout à fait possible.

6. En fait, il s'agit de la voiture
- **a.** ☐ d'une autre personne.
- **b.** ☐ de la même personne.
- **c.** ☐ de sa voisine.

Compréhension écrite

DELF
UNITÉ A1

1 **Lisez ce premier chapitre, puis dites si les affirmations sont vraies ou fausses.**

	V	F
1. Le commissaire ne travaille plus, il est à la retraite.	☐	☐
2. Il sort tous les dimanches matins faire une bonne promenade.	☐	☐
3. Il achète seulement *Le Figaro*.	☐	☐
4. Il s'arrête chez le fleuriste pour acheter des fleurs à sa fiancée.	☐	☐
5. Il désire qu'on livre des roses rouges à son bureau.	☐	☐
6. Sur un billet, il voit quelque chose d'écrit.	☐	☐
7. Il s'essuie les doigts sur son pardessus.	☐	☐
8. Sa femme est un peu jalouse.	☐	☐

2 **Complétez le résumé de ce chapitre.**

Monsieur Grasset est ...., mais il ne travaille plus, car il .... Tous les matins, il a le temps de se promener, d'aller acheter .... Ce matin-là, il est très pressé car .... Mais il n'oublie pas de passer chez le fleuriste pour .... Il va payer le fleuriste quand il se rend compte que .... Plus tard, chez lui, il ne pense plus au mystérieux billet. Mais quand sa femme lui demande si ...., il est étonné, et il se demande qui a pu écrire .... au rimmel sur un billet de banque. Pour le savoir, il téléphone ....

Grammaire

C'est / Il est

> *C'est une déformation professionnelle.*
> *C'est bizarre.*

C'est / Il est + adjectif

> *Faites cet exercice, il est facile.*
> *Je ne fume pas, c'est mauvais pour la santé !*

- Dans la première phrase, le sujet du verbe est le pronom personnel masculin «il», qui reprend **le substantif** «exercice».

- Dans la deuxième phrase, le sujet du verbe est le pronom démonstratif neutre «ce», qui reprend **le verbe** «fumer».

> *Il est interdit de fumer.*

- Il s'agit d'une phrase impersonnelle. La structure à respecter est la suivante : **il est + adjectif + de + verbe à l'infinitif**

C'est / Il est + substantif

- Quand le verbe «être» est suivi d'un substantif précédé d'un **déterminatif**, on emploie le présentatif «**C'est**» :

  > *C'est ma sœur ; C'est un journaliste ; C'est le livre.*

- Quand le substantif est seul, **sans déterminatif**, on emploie le pronom personnel sujet «**il**» ou «**elle**» :

  > *Elle est journaliste ; Il est ingénieur.*

1 Corrigez si nécessaire.

1. ~~Il est~~ Monsieur Grasset. Il est commissaire.
   ...... *C'est* ....

2. Ce sont les billets du fleuriste. ~~Ce~~ sont neufs.
   .... *Ils* ....

3. Il ~~est~~ son portefeuille. Il est rouge.
   ...... *C'est* ....

4. Ce sont des roses rouges. Elles sont pour Madame Grasset.
   ....

5. ~~Ils~~ sont des signes. Ils sont écrits avec du rimmel.
   .. *Ce* ....

6. ~~Elles~~ sont des taches noires. Elles ~~sont~~ sur le billet.
   .. *Ce* .... ~~c'est~~ *elle sont*

7. C'est *Le Figaro*, ~~il est~~ un magazine qui sort toutes les semaines.
   .... *C'est* ....

8. C'est un faux billet. ~~C'est~~ vert et les billets de vingt euros sont bleus !
   .... *Il est* ....

2 Complétez avec *il est, c'est, ce sont, ils sont, elle est, elles sont.*

1. *C'est* beau, la retraite !
2. *C'est* un billet de deux cents euros.
3. *C'est* vrais, vos billets ?
4. *C'est* notre anniversaire de mariage.
5. *Elles sont* magnifiques, ces roses !
6. M. Grasset *il est* à la retraite !
7. *C'est* une déformation professionnelle.
8. *Elle est* un peu jalouse, elle a trouvé du rimmel sur son mouchoir.

3 **Transformez les phrases selon les stimuli.**

Exemple : *Il est interdit d'entrer sans frapper.*
N'entrez pas sans frapper, c'est interdit.

1. Il est imprudent de se mêler de choses qui ne vous regardent pas.

....

2. Il est important de préparer sa retraite.

....

3. Il est plus prudent de ne pas parler avec des inconnus.

....

4. Il est fondamental de se reposer après une journée de travail.

....

5. Il est important d'offrir des fleurs à sa femme.

....

6. Il est naturel de veiller sur sa santé.

....

7. Il est urgent de téléphoner à la police.

....

8. Il est important de prendre des vacances.

....

Enrichissez votre vocabulaire

1 **Recherchez dans le texte les mots qui ont un rapport avec l'argent.**

substantifs	*euros, portefeuille ...*
verbes	*changer ...*
adjectifs	*faux ...*
expressions	*je vous dois combien ...*

2 Inventez de brefs dialogues en utilisant les mots que vous avez trouvés.

- Un client voudrait acheter un kilo de tomates ; les tomates coûtent 2,75 euros le kilo, il donne au vendeur un billet de dix euros.
- Au supermarché, Madame Bonnefoi est à la caisse. La caissière lui demande 135 euros, malheureusement Madame Bonnefoi n'a que 130 euros sur elle. La caissière appelle le responsable M. Burtin. M. Burtin connaît Madame Bonnefoi et donne les cinq euros qui manquent. Mme Bonnefoi est désolée et confuse.

Production écrite

1 Quels personnages avez-vous rencontrés ? Pensez-vous qu'ils auront tous de l'importance pour la suite de l'histoire ? Établissez pour chacun une «fiche signalétique».

> sexe :
>
> âge :
>
> profession :
>
> signes particuliers :

Et maintenant présentez-les.

2 Parmi les éléments suivants, lesquels vous semblent importants pour la suite de l'histoire ?

a. ☐ M. Grasset est à la retraite.

b. ☐ Le fleuriste plaisante avec M. Grasset.

c. ☐ Sur le billet de 50 euros, il y a un numéro de téléphone mystérieux.

Détente

Horizontalement

profession de M. Grasset

Verticalement

1. Il faut l'être, si on veut découvrir la vérité et M. Grasset l'est puisqu'il fouille partout.

2. On le dit d'une personne qui utilise une méthode.

3. On le dit de quelqu'un qui comprend vite.

4. Si on plaît aux gens, on l'est.

5. On le dit de quelqu'un qui est embarrassé.

6. C'est quelqu'un qui a de l'énergie.

2

TOUT CE MAL POUR RIEN

MAIS ENFIN, quand est-ce que cet imbécile va me rappeler ? ? ! »

Le commissaire ne tient pas en place. Il faut dire qu'après plus de 30 ans d'activité, il a bien du mal à s'habituer à la retraite. Il pense que peut-être quelqu'un est en danger, il se demande pourquoi une femme — car c'est sûrement une femme ! — a écrit ces chiffres, sans doute un numéro de téléphone, sur un billet de banque ! Le billet est neuf, il n'est pas froissé [1], il est passé dans peu de mains...

Il est presque midi ! Grasset n'en peut plus ; il enfile son pardessus, ses chaussures. C'est à peine s'il répond à sa femme qui lui crie que le déjeuner est presque prêt, et qui lui demande de ne pas rentrer trop tard.

Le commissariat n'est pas très loin. Grasset y est toujours allé à pied. Il y a un peu de verglas [2] sur les trottoirs ; il doit faire attention, s'il ne veut pas se casser une jambe.

---

1. **pas froissé** : sans un pli.
2. **le verglas** : plaque de glace.

Quand il arrive, ses ex-collègues l'accueillent en riant, avec les mêmes plaisanteries [1] : «Alors, commissaire, vous avez déjà la nostalgie ? Vous voulez reprendre du service ?»

Il trouve Vignot dans son bureau, en train de casser la croûte : un sandwich jambon-beurre et une canette de bière [2].

«Patron ! Quel bon vent ? Je viens d'appeler chez vous ! Votre femme m'a dit que vous étiez sorti...

– Arrête de m'appeler «Patron» ! Je ne suis plus ton patron !

– Oui, excusez-moi... Mais vous savez, patron, l'habitude... oh, pardon !

– Alors, ce numéro ? Qu'est-ce que tu as découvert ?

– Ben, rien de spécial ! Une famille tout à fait normale... pas de disparition, pas de plainte... rien, quoi !

– C'est quand même bizarre...

– Quoi, patron ? Vous m'expliquez ce qui se passe ?...

– Laisse... dis-moi, cette famille, où elle habite ?

– Tenez, j'ai tout noté là... Mais vous allez m'expliquer !

– Après ! Maintenant, j'ai à faire.

– Mais enfin, patron, vous ne pouvez pas me laisser sans rien me dire... Et puis, vous êtes à la retraite ! Qu'est-ce qui vous arrive ?

– Laisse-moi tranquille ! Salut !»

D'un signe de la main, Grasset est déjà sorti. Il commence à en avoir assez, de s'entendre dire cent fois par

1. **la plaisanterie** : quelque chose qu'on dit pour faire rire.
2. **une canette de bière** : une petite bouteille de bière.

jour qu'il est à la retraite ! Ce n'est pas une raison pour ne rien faire ! Et puis, si quelqu'un était en danger ?

Il appelle un taxi, et se fait conduire à l'adresse que Vignot lui a donnée. C'est un quartier de la proche banlieue. Il est midi et demi, déjà... Sa femme doit être en colère ! Pour leur anniversaire de mariage, c'est du beau gâchis ! Tant pis, maintenant, il doit aller jusqu'au bout !

Le taxi le dépose devant un petit pavillon blanc, entouré d'un jardin ; deux vélos sont appuyés contre la grille. Le commissaire sonne. Un homme d'une quarantaine d'années entrouve la porte :

«Bonjour, Monsieur, vous désirez ?

– Commissaire Grasset, de la police criminelle... Je peux vous poser quelques questions ?»

L'homme a l'air affolé [1] : «Quoi ? Qu'est-ce qui se passe ? Mon fils a eu un accident ?

– Non, je veux juste vous demander quelque chose... il n'est rien arrivé de grave. Ne vous en faites pas.

– Entrez... Vous m'avez fait peur... Vous savez, mon fils

1. **affolé** : il a peur.

18

se déplace en mobylette... Alors, la police... j'ai tout de suite imaginé le pire... Je vous en prie, entrez, asseyez-vous...»

Le commissaire le suit dans un petit salon ; une jeune fille est en train de lire un magazine.

Quand le commissaire sort le billet de 50 euros, avec les chiffres mystérieux, elle éclate de rire :

«Notre numéro de téléphone ? Mais c'est moi qui l'ai écrit. – Comment toi ?» Son père s'est tourné vers elle.

«Oui, je voulais laisser mon numéro à Martine, une nouvelle copine. On n'avait pas de papier, ni de crayon... Alors elle a pris un billet dans son portefeuille, et j'ai écrit dessus. Et puis, c'est pas du rimmel ! C'est du khôl, le crayon pour les yeux !...»

Le commissaire est déjà debout, presque honteux [1]. Il se sent plutôt ridicule. À quoi voulait-il jouer ? au justicier solitaire ? Il salue, laissant ses interlocuteurs étonnés...

Le taxi l'attend. Il se fait reconduire chez lui... 28 euros ! la note est salée... et cette fois-ci, pas question de la faire passer pour une note de frais ! En colère, il tend au chauffeur le fameux billet.

«Gardez la monnaie !»

Décidément, il aurait mieux fait de ne pas sortir de chez lui, ce matin !

Soudain, il s'arrête net. Devant la porte de son immeuble, il y a des voitures de police, une ambulance, un attroupement de curieux...

---

1. **honteux** : il a le sentiment d'avoir agi stupidement.

Compréhension orale

1 Écoutez et complétez.

Le .... Grasset prend un taxi et arrive .... de Rivoli. Il
descend, il .... pressé. Il .... autour de lui, l'air inquiet :
quelqu'un l'a suivi. Il décide d'....................sur le trottoir : ....
verra bien de quoi il s'agit. Un .... le dépasse, il porte un
.... beige et fume la ...., il a aussi un .... sur la
tête ; .... le reconnaît, mais c'est ça, il a compris :
.... qui le suivait, c'était Maigret. Il .... son courage à
deux mains et l'interpelle :

- Oh vous ! Je vous .... ! Vous êtes Maigret, n'est-ce pas ? Cet
  ...., cette ...., c'est vous ?
- Euh ! Oui, je me suis fait avoir comme un bleu !
- .... m'avez-vous suivi ?
- Cette affaire de ...., elle m'intéresse aussi.
- Ah bon ? Alors pourquoi ne pas .... ensemble ?
- Bonne idée ! Au .... alors ! ! !

Compréhension écrite

DELF **1** **Parmi les affirmations suivantes dites quelles sont les bonnes.**
UNITÉ A1

1. Le commissaire fait attention dans la rue
   a. ☐ parce qu'il a peur de tomber.
   b. ☐ parce qu'il a peur de quelqu'un.
   c. ☐ parce qu'il a peur de se tromper.

2. Au bureau, Vignot
   a. ☐ est en train de lire un journal.
   b. ☐ est en train de suivre les actualités.
   c. ☐ est en train de casser la croûte.

3. Le commissaire a peur que

   a. ☐ quelqu'un se trouve en danger.

   b. ☐ quelqu'un se moque de lui.

   c. ☐ quelqu'un l'appelle chez lui.

4. Le commissaire est en retard

   a. ☐ il est minuit et demi.

   b. ☐ il est midi et demi.

   c. ☐ il est une heure et demie.

5. Le commissaire arrive devant

   a. ☐ un petit papillon blanc.

   b. ☐ un petit pavillon blanc.

   c. ☐ un petit patio blanc.

6. Un homme lui ouvre la porte, c'est

   a. ☐ le père du malfaiteur.

   b. ☐ le père du voleur.

   c. ☐ le père d'un jeune garçon.

7. Une jeune fille arrive, c'est

   a. ☐ elle qui est allée au commissariat.

   b. ☐ elle qui a écrit sur le billet.

   c. ☐ elle qui a téléphoné à la police.

8. Quand Grasset arrive chez lui

   a ☐ il y a une ambulance devant la porte de son immeuble.

   b. ☐ il y a un taxi devant la porte de son immeuble.

   c. ☐ il y a un attroupement devant la porte de son immeuble.

2 **Remettez en ordre les phrases suivantes résumant le contenu de ce chapitre.**

a. ☐ La jeune fille dit qu'elle a écrit son numéro de téléphone pour une copine.

b. ☐ Grasset est impatient et il décide d'aller au commissariat.

c. ☐ Grasset voit beaucoup de monde devant son immeuble.

d. ☐ Le taxi dépose Grasset devant un petit pavillon de banlieue.

e. ☐ Au commissariat, tous ses ex-collègues accueillent Grasset en plaisantant.

f. ☐ Vignot donne à Grasset l'adresse de l'abonné du numéro inscrit sur le billet.

g. ☐ Grasset s'en veut d'avoir été si ingénu.

Grammaire

La forme interrogative directe

«*Quand est-ce que cet imbécile va me rappeler ?*»

- Il existe trois façons de formuler une question :

1. **L'intonation** (langue orale)
   Tu m'entends ?
2. **Est-ce que + sujet + verbe**
   Est-ce que tu m'entends ?
3. **L'inversion du sujet**
   M'entends-tu ?

- Quand le sujet est un substantif, il faut le reprendre **par un pronom personnel sujet** :
   Jacques a-t-il téléphoné ?

(On remarque dans ce dernier exemple que l'on insère un «t» euphonique, qui sert à éviter de prononcer deux voyelles consécutives)

1 Relisez le chapitre, retrouvez toutes les interrogatives directes, et classez-les (intonation, est-ce que..., inversion).

intonation	est-ce que...	inversion

2 Écoutez les phrases puis dites si ce sont des énonciations ou des interrogations selon l'intonation.

Phrases	énonciation	interrogation
1.	....	....
2.	....	....
3.	....	....
4.	....	....
5.	....	....
6.	....	....

3 **Trouvez les questions aux réponses suivantes.**

Exemple : *Qu'avez-vous fait hier soir de huit à neuf heures ?*
Euh....hier soir de huit à neuf heures, eh bien, je regardais la télé.

1. ....

   À dix heures, je suis allé me coucher.

2. ....

   Oui, ma femme était avec moi.

3. ....

   Je ne crois pas, elle est partie ce matin.

4. ....

   Chez sa mère à Lyon.

5. ....

   Je ne sais pas, elle ne me l'a pas dit.

6. ....

   Non, elle n'a pas de téléphone portable.

7. ....

   Eh non, sa mère n'a pas le téléphone.

Enrichissez votre vocabulaire

1 **Retrouvez dans le texte tous les termes ayant un rapport avec le monde du travail.**

substantifs	*activité, retraite ...*
verbes	*reprendre du service ...*

24

DELF 2 À jouer avec un camarade.

UNITÉ A2

Vous vous présentez dans une entreprise qui recherche un(e) secrétaire bilingue. Le directeur du personnel vous reçoit. Il vous pose des questions sur vos expériences de travail, les stages que vous avez faits à l'étranger, vos loisirs etc...N'oubliez pas non plus de dire quelles études vous avez faites. (dates y comprises).

3 Que signifient ces expressions ? Choisissez la bonne réponse.

1. *Il ne tient pas en place*
   a. ☐ il n'a pas de place pour s'asseoir.
   b. ☐ il n'est pas à sa place.
   c. ☐ il est très agité.

2. *Il casse la croûte*
   a. ☐ il mange un repas froid.
   b. ☐ il ne mange que la croûte du pain.
   c. ☐ il casse un vieux vase.

Production écrite

DELF 1 Vous envoyez un mél au commissaire Grasset. Tous les soirs, un

UNITÉ A1 mystérieux individu s'arrête devant chez vous. Vous lui demandez de passer vous voir.

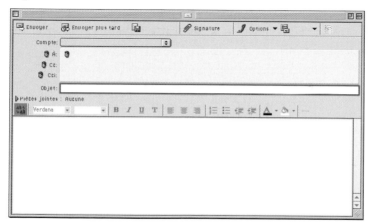

DELF **2** Transformez ce mél en lettre officielle.

UNITÉ A1
N'oubliez pas d'indiquer votre adresse et numéro de téléphone, l'adresse du commissariat, l'objet de votre lettre, terminez par une formule de politesse.

Monsieur le commissaire Grasset,

Détente

1 Huit détectives et policiers célèbres, personnages de romans, de films ou de bandes dessinées se cachent dans cette grille. Il y a même un agent secret avec eux. Trouvez-les !
Toutes les lettres restantes vous donneront le nom d'un cambrioleur qui s'est glissé parmi eux. Réussiront-ils tous ensemble à lui passer les menottes ?

A	M	H	O	L	M	E	S
J	A	V	E	R	T	C	M
R	R	S	T	E	I	O	A
N	L	B	R	E	N	L	I
L	O	O	A	▮	T	O	G
U	W	N	C	P	I	M	R
I	E	D	Y	N	N	B	E
M	A	R	P	L	E	O	T

③

UN CRIME ÉTRANGE

U N POLICIER barre l'entrée de l'immeuble.
«Qui êtes-vous ? Où voulez-vous aller ?
– Mais... chez moi ! Qu'est-ce qui se passe ?
– Il y a eu un crime... Comment vous appelez-vous ?

– Un crime ? Mais je suis le commissaire Grasset...
J'habite au deuxième. Je dois rentrer chez moi !»

Le policier est troublé [1].

«Ah ! Le commissaire Grasset... Euh... Suivez-moi, s'il vous plaît...»

Grasset ne comprend rien. Il suit le policier. Sur son passage, les autres locataires, qui discutaient dans l'escalier, deviennent subitement silencieux. Il commence à se sentir inquiet, un vilain pressentiment lui fait monter les escaliers plus vite. Sur le palier du deuxième étage, il y a un véritable attroupement : des gens tendent la tête, des policiers tiennent les curieux à l'écart. La porte de son appartement est grande ouverte, des hommes vont et viennent.

---

1. **troublé** : embarrassé, ému.

UN BILLET POUR LE COMMISSAIRE

«Mais qu'est-ce qui s'est passé ? Mais où est ma femme ?
Dites-moi ce qui s'est passé !»

Le policier qui le précédait se retourne.

«Attendez un instant, je vais appeler le commissaire.

– Mais je veux rentrer chez moi ! Qu'est-ce qui se passe ?
Expliquez-moi !»

Il est sur le pas de la porte, il voit arriver Vignot.

«Vignot, qu'est-ce que tu fais chez moi ? Tu vas
m'expliquer...»

Vignot le prend par le bras.

«Monsieur Grasset... il est arrivé quelque chose de
terrible... Votre femme...

– Quoi, ma femme ?

– Elle a été assassinée. Venez !»

Grasset est comme paralysé. Une légère pression de
Vignot sur son bras le ramène à la réalité.

«Venez, il faut me suivre.»

Il suit Vignot, comme s'il était dans une maison
inconnue, qu'il n'avait jamais vue. Il parcourt un long
couloir, puis pénètre dans la dernière pièce à gauche. C'est
son bureau. Il reste muet, pétrifié sur le pas de la porte.

Les hommes de la brigade criminelle s'affairent. Ils
tracent des signes sur le plancher. Par terre, il y a des
taches.

Grasset fait quelques pas au milieu de la pièce. Il se
baisse pour observer ces taches... du sang ! Vignot est
toujours à côté de lui. Il l'arrête.

«Excusez-moi, mais il ne faut rien toucher. Vous savez

ce que c'est... Elle a sans doute été assommée [1], par derrière. Elle a une blessure à la nuque. C'est votre voisin de palier qui l'a trouvée. Il a vu la porte grande ouverte, il a senti une odeur de brûlé, de la fumée, alors il est entré et il l'a trouvée dans le bureau... Dans la cuisine, il y avait un rôti carbonisé dans le four. Elle devait être en train de cuisiner, quand l'assassin est venu. Elle est sûrement morte sur le coup.»

Le commissaire est stupéfait.

«Mais qui ? Qui a fait ça ? Pourquoi ?»

Il a presque hurlé sa question. Un silence de mort envahit la pièce. Tous les regards se sont tournés vers lui.

---

1. **elle a été assommée** : on lui a donné un coup sur la tête.

Compréhension orale

1 Écoutez et dites si les affirmations sont vraies ou fausses.

DELF
UNITÉ A1

	V	F
1. Un flash d'actualité interrompt le journal télévisé.	☐	☐
2. Un flash d'actualité interrompt une série télévisée.	☐	☐
3. Il y a eu un braquage dans une agence du Crédit Lyonnais.	☐	☐
4. Il y a un reportage sur une agence du Crédit Lyonnais.	☐	☐
5. Les malfaiteurs sont au nombre de vingt.	☐	☐
6. Les malfaiteurs sont au nombre de cinq.	☐	☐
7. Les otages sont menacés de mort si les malfaiteurs n'obtiennent pas ce qu'ils veulent.	☐	☐
8. Les otages sont menacés de mort si les malfaiteurs obtiennent ce qu'ils veulent.	☐	☐
9. Le nom de l'envoyé spécial est Philippe Gérôme.	☐	☐
10. Le nom de l'envoyé spécial est Philippe Giraud.	☐	☐
11. Autour de la banque, il y a un commando du GIGN	☐	☐
12. Autour de la banque, il y a un commando du GIGL.	☐	☐
13. Tout à coup, on entend une explosion.	☐	☐
14. Tout à coup, on entend une implosion.	☐	☐
15. Les malfaiteurs sont tous morts.	☐	☐
16. Les malfaiteurs se rendent.	☐	☐

Compréhension écrite

DELF **1** **Lisez ce troisième chapitre puis répondez aux questions.**

UNITÉ A2

a. Où se déroule l'action ?

....

b. Que s'est-il passé ?

....

c. Mettez une croix dans les cases qui correspondent aux sentiments, aux convictions ou aux états d'âme des personnages.

1. Le policier à l'entrée de l'appartement de Grasset est

☐ embarrassé.

☐ en colère.

☐ troublé.

☐ stupéfait.

☐ étonné.

2. Lorsque Grasset apprend ce qui est arrivé, il est

☐ embarrassé.

☐ en colère.

☐ troublé.

☐ stupéfait.

☐ étonné.

3. Vignot pense que

☐ l'assassin a surpris Mme Grasset par derrière.

☐ Mme Grasset connaît l'assassin.

☐ Mme Grasset et l'assassin se sont battus.

☐ Mme Grasset attendait l'assassin.

2 **Complétez le résumé.**

Grasset ne peut pas rentrer dans son immeuble, parce que ....
Quand il dit son nom, le policier .... Dans les escaliers, et
sur le palier du deuxième étage, des gens .... Vignot est dans
l'appartement, et il annonce à Grasset que .... C'est un
voisin qui .... : il a vu .... et il a senti .... Le
cadavre était .... Madame Grasset a sans doute été ....
Il y a beaucoup de personnes dans la pièce : quand Grasset demande
..............., tout le monde ....

Grammaire

Le féminin des adjectifs

> *Elle est **morte** sur le coup.*
> *Une **légère** pression.*

En règle générale, on forme le féminin en ajoutant un «e» **au masculin** :
> *grand / grande, fatigué / fatiguée*

Mais il y a d'autres façons de former le féminin :

- certains adjectifs se terminant par un «e» muet au masculin
  restent invariables :
  facile / facile, rouge / rouge

- les adjectifs qui se terminent par une consonne au masculin se
  transforment :

-er		-ère	*léger / légère*
-eux		-euse	*heureux / heureuse*
-el	$\rightarrow$	-elle	*naturel / naturelle*
-et		-ette	*muet / muette*
-et		-ète	*inquiet / inquiète*
-f		-ve	*vif / vive*

- attention, certains adjectifs ont deux formes différentes au
  masculin :

  beau - bel / belle
  nouveau - nouvel / nouvelle
  vieux - vieil / vieille

1 Retrouvez tous les adjectifs du chapitre et donnez le masculin ou le féminin (la forme manquante).

Silencieux / silencieuse
Inquiet / inquiète

....

....

....

....

....

Production écrite

1 Voilà une petite annonce qu'une grande entreprise a fait publier sur *Le Figaro*. Mais elle a oublié qu'elle devait s'adresser aussi bien à un public masculin que féminin : corrigez-la.

> Laboratoire pharmaceutique *Mérieux*
> de la région Lyonnaise recherche
> un pharmacien.
> Il devra remplir la fonction de chef de production.
> Il devra être : dynamique, entreprenant, organisé, chaleureux avec la clientèle, capable de gérer les rapports avec le personnel.
> Il devra posséder : une solide formation dans le secteur.

2 Après avoir lu cette annonce, Josyane Dupré répond à l'entreprise et envoie son CV. Elle n'a pas fait les accords des adjectifs et des participes passés utilisés comme adjectif. Corrigez-les.

Curriculum Vitae

État Civil

- Nom : Dupré
- Prénom : Josyane
- Domicile: 50 avenue P. Yves Farges 69006 Lyon
- Né le 10 avril 1978 à Châlon sur Saône (département de la Saône et Loire).
- Marié sans enfants

Études

- licencié ès pharmacie à Lyon
- Connaissances :
  langue vivant (lu, écrit, parlé) anglais
  langue vivant (lu, écrit) espagnol
- Stage de formation de trois mois aux Laboratoires Boiron
- Stage de formation de quatre mois aux Laboratoires Bayer

Disponibilité

- prêt à remplir ce poste immédiatement

Enrichissez votre vocabulaire

1 Relevez dans ce chapitre tous les mots ayant un rapport avec le crime.

substantifs	crime ...
verbes	assassiner ...

Pour les mots suivants, recherchez des termes appartenant à la même famille lexicale.

Assassin, assassinat, assassiner ....

- Crime, ...
- Meurtre, ...
- Enquête, ...

Compréhension écrite

DELF **1** UNITÉ A2 **Lisez le document suivant.**

Les vacances de Maigret

Année : 1995. Origine : France. Réalisation : Pierre Joassin. D'après le roman de Georges Simenon. Genre : policier. Durée : 95 min.

Distribution : Bruno Cremer (Jules Maigret)

RÉSUMÉ

Le couple Maigret passe quelques jours dans les Ardennes belges, dans la famille de madame. Le lendemain de leur arrivée, Louise Maigret doit être hospitalisée d'urgence pour une appendicite. Le soir même, après avoir rendu visite à sa femme, le commissaire trouve dans sa poche un billet le suppliant de s'intéresser à la patiente du lit n° 15. Il s'agit de Liliane Godreau, une jeune fille qui est dans le coma à la suite d'un accident de la route. Liliane est, en fait, la belle-soeur du docteur Delaunay, le chirurgien qui a opéré Louise. Les circonstances de l'accident semblent étranges. Le lendemain, Liliane décède des suites de ses blessures. Intrigué par ces faits, Maigret décide de rester en Belgique pour élucider cette étrange affaire.

Puis répondez aux questions.

1. Ce texte

☐ présente un acteur.

☐ présente un auteur.

☐ présente un téléfilm.

2. Complétez la fiche de présentation de ce document.

nature du document	réalisateur	date de parution	nationalité	inspiré de

3. Chez qui les Maigret vont-ils passer les vacances ?

   ☐ Chez les parents de Jules Maigret.

   ☐ Chez les parents de Louise Maigret.

   ☐ Chez le parâtre de Jules Maigret.

4. Dites si les affirmations suivantes sont vraies (V) ou sont fausses (F). Si le texte ne donne pas l'information demandée mettez une croix dans la case (?)

	V	F	?
a. Les Maigrets passent leurs vacances dans les Ardennes.	☐	☐	☐
b. Mme Maigret a un accident et elle est hospitalisée.	☐	☐	☐
c. M. Maigret rend visite à son épouse.	☐	☐	☐
d. Il trouve une lettre d'amour dans sa poche.	☐	☐	☐
e. La patiente du lit n° 15 a une crise cardiaque.	☐	☐	☐
f. Cette patiente dont le prénom est Liliane n'est pas beaucoup aimée du docteur Delaunay.	☐	☐	☐
g. Liliane meurt deux jours après.	☐	☐	☐

5. Qui est M. Delaunay ?

   ☐ Le beau-frère de Liliane.

   ☐ Le chirurgien qui a opéré Liliane.

   ☐ Le chirurgien qui a opéré Louise.

Compréhension du chapitre

1 À la fin du chapitre, tous les regards se tournent vers Grasset. Pourquoi ? Que peut penser Vignot ?
En tant que lecteur, vous savez que Grasset ne peut pas être l'assassin, vous connaissez son emploi du temps...
Faites deux listes pour récapituler ce qui est arrivé depuis le matin : ce que vous savez, ce que Vignot sait... Que pouvez-vous déduire sur le comportement de Vignot vis-à-vis de Grasset ?

ce que vous savez	ce que Vignot sait
Grasset a trouvé un billet mystérieux.	*Grasset a demandé un renseignement sans donner d'explication.*

Détente

Derrière cette charade se cache le titre d'un grand film.

- Mon premier est la première lettre de l'alphabet.
- Mon second est l'extrémité de quelque chose ou tout simplement un morceau.
- Mon troisième est une préposition.
- Il faut beaucoup de mon quatrième pour courir un marathon.
- Mon tout est un célèbre film de Jean-Luc Godard avec Jean-Paul Belmondo et Jean Seberg, réalisé en 1960 où le héros, un marginal vole une voiture et tue un policier.

4

SUSPECT N° 1

D E NOUVEAU, Vignot l'a pris par le bras.

«Venez, Monsieur Grasset ; nous avons quelques questions à vous poser. Il faut laisser ces messieurs travailler...»

Il emmène Grasset dans le salon. C'est comme si c'était lui, le maître de maison. Grasset est abasourdi [1]. Et pourtant, il en a vu des scènes semblables, des crimes, des cadavres... Mais il a toujours été de l'autre côté, du côté des policiers, des enquêteurs. Jamais du côté des victimes... ni des suspects. Il ne comprend pas pourquoi on le traite ainsi.

«Vous voulez boire quelque chose, Monsieur Grasset ? Ça va aller ?»

Vignot le regarde avec inquiétude. Grasset lève les yeux, et semble le voir pour la première fois.

«Mais, pourquoi vous ne m'appelez plus commissaire ? ou patron ?»

Vignot est embarrassé.

«Ben, c'est-à-dire... avec ce qui se passe. Moi non plus,

---

1. **abasourdi** : stupéfait, sidéré.

je ne comprends plus rien... Il faut que je vous interroge.

— Que vous m'interrogiez ?

— Oui, vous comprenez. C'est un crime, un meurtre. On doit chercher le coupable.

— Oui, bien sûr, mais je ne sais rien ! Je viens de rentrer chez moi !

— Je suis désolé, je dois vous interroger. Vous aviez de l'argent, des objets de valeur chez vous ?

— De l'argent ? non, j'en garde toujours peu chez moi, seulement quelques bijoux de ma femme.

— On contrôlera s'il manque quelque chose. Et qu'avez-vous fait ce matin ?

— Ce que j'ai fait ce matin ? mais je suis venu vous voir ! Vous le savez très bien !

— Je regrette, vous devez me raconter votre emploi du temps de façon plus précise...»

Grasset n'en croit pas ses oreilles. Il a l'impression de vivre un cauchemar [1]. Voilà qu'on l'interroge, lui !

«Mais enfin, je suis passé vous voir !

— Oui, mais après ? Vous n'êtes resté au bureau qu'un quart d'heure environ [2], de midi à midi et quart, pas plus... Et vous n'avez rien voulu me dire... Quand j'ai téléphoné chez vous, ce matin, un peu avant midi, c'est votre femme qui m'a répondu. Et il est maintenant plus de quinze heures... Nous avons besoin de savoir ce que vous avez fait exactement cet après-midi.

---

1. **un cauchemar** : un mauvais rêve.
2. **environ** : à peu près.

— Mais je rêve ! Ce n'est pas possible !»

Grasset est debout, il hurle.

«Mais cherchez donc l'assassin, au lieu de perdre votre temps !».

Vignot essaie de le calmer, mais il se démène comme un fou. D'autres personnes sont dans le salon. Il reconnaît quelques visages familiers, qu'il a rencontrés au cours de ses enquêtes. Tous ces regards sont tournés vers lui, comme s'ils l'accusaient. Alors, il retrouve son calme, et se laisse tomber dans le fauteuil.

Vignot est devenu dur, froid.

«Monsieur Grasset, je vais être obligé de vous demander de nous suivre, au commissariat, pour un interrogatoire.»

Grasset se sent pâlir. Lui, on le soupçonne [1] ! Mais c'est ridicule !

Il regarde le visage dur de Vignot.

Il devient sarcastique :

«Je suppose que vous allez me mettre les menottes [2]...

— Voyons, vous savez très bien qu'on ne le fait pas, avec les témoins. On ne tourne pas un film, Monsieur Grasset, et vous n'êtes qu'un témoin pour l'instant...»

1. **on le soupçonne** : on pense qu'il est coupable.
2. **les menottes** : bracelets de métal que la police met aux mains des prisonniers.

Compréhension orale

DELF
UNITÉ A2

1 Avant d'écouter les dialogues, lisez les questions. Après chaque dialogue, vous avez 30 secondes pour répondre. Puis réécoutez les dialogues une deuxième fois. Cochez les réponses qui vous semblent exactes ou complétez les phrases.

Dialogue n. 1

1. Les personnages s'appellent

   ☐ Julien et Andrée.

   ☐ Julie et Andrea.

   ☐ Julie et André.

2. Ils veulent aller

   ☐ au cinéma.

   ☐ au théâtre.

   ☐ à l'opéra.

3. La jeune fille voudrait

   ☐ aller au festival des Polonais.

   ☐ aller au festival du polar.

   ☐ aller au festival du boulevard.

Dialogue n. 2

1. Il y a

   ☐ deux personnages.

   ☐ trois personnages.

   ☐ quatre personnages dans ce dialogue.

2. Le premier demande au deuxième d'aller chercher

   ☐ un DVD.

   ☐ un CD ROM.

   ☐ un CD.

3. Ils sont d'accord pour revoir *Le père Noël est une ordure.*

☐ Vrai

☐ Faux

Dialogue n. 3

1. Les deux personnages sont en train de voir

☐ un film d'aventures.

☐ un film policier.

☐ un film d'amour.

2. Selon le premier spectateur l'assassin est

☐ la bonne.

☐ le majordome.

☐ la fille.

3. Selon le deuxième spectateur, pourquoi l'assassin est la fille ?

....

Dialogue n. 4

1. Les personnages sont

☐ la mère et son fils.

☐ la mère et sa fille.

☐ des parents et leur fils.

2. L'enfant veut regarder la télé parce qu'il est grand.

☐ Vrai

☐ Faux

3. Cette scène se déroule un dimanche soir.

☐ Vrai

☐ Faux

☐ On ne sait pas

4. La femme menace l'enfant d'appeler ....

Compréhension écrite

DELF □ 1 **Lisez ce chapitre puis répondez aux questions.**

UNITÉ A1

Qui fait quoi, cochez la case correspondante.

	Vignot	Grasset
Il l'emmène dans le salon.		
Il l'appelle avec son nom.		
Il ne sait rien.		
Il demande ce qu'il a fait la veille.		
Il est soupçonné de meurtre.		
Il demande au témoin de le suivre au commissariat.		
Il demande si on lui mettra les menottes.		

Grammaire

La forme interrogative indirecte

*Il ne comprend pas **pourquoi on le traite ainsi**.*

- L'interrogation indirecte est introduite par un verbe :
  demander, savoir, dire, comprendre...

- Dans la proposition interrogative, **on n'utilise jamais "est-ce que" et on ne fait pas l'inversion du sujet**.

- Voici le schéma de transformation :

INTERROGATION DIRECTE	INTERROGATION INDIRECTE
Voulez-vous du café ?	*Dites-moi **si** vous voulez du café.*
Où habites-tu ?	*Je voudrais savoir **où** tu habites.*
Qui est-ce qui vient avec moi ?	*Dites-moi **qui** vient avec moi.*
Qui est-ce que tu as vu ?	*Je dois savoir **qui** tu as vu.*
Qu'est-ce que tu fais ?	*Tu dois me dire **ce que** tu fais.*
Qu'est-ce qui te plaît ?	*Dis-moi **ce qui** te plaît.*

1 Relevez les phrases interrogatives indirectes du chapitre et trasformez-les en interrogatives directes.

DELF **2**
UNITÉ A2
Observez le document et répondez aux questions.

Bruno Cremer et Jean Yanne dans *Maigret et l'écluse*.

1. Qui est l'homme à la pipe ? Que fait-il ?

....

2. Selon vous, quelle est la profession de l'homme sur la droite ?

....

3. Imaginez ce qu'ils se disent.

....

....

....

....

4. Puis reportez ce dialogue à la forme indirecte : il demande si ... il répond que ... N'oubliez pas de donner des noms à vos personnages.

....

....

....

....

Enrichissez votre vocabulaire

1 **Complétez le texte avec les mots suivants.**

> bureaux   tournage   enquêter   dialogues   commissaire
> téléspectateurs   lent   décors   psychologiques
> coup de feu   assassinat   policier

Avec l'incontournable Bruno Cremer dans le rôle du ...., cet épisode se déroule exclusivement dans les .... d'une entreprise, la caméra circulant d'une pièce à l'autre. La seule échappatoire sur l'extérieur est une fenêtre ouverte. Ce détail qui attire l'attention du ...., venu ....sur l'.................. du chef d'entreprise véreux [1].

Les 21 jours de................ ont été effectués à Prague, dans une école d'infirmières, avec des............... en panneaux de bois. «L'image est très soignée, avec de beaux ....et un bel éclairage, juge Michel Grisolia. Les ....adorent la série car elle est intemporelle. L'histoire pourrait se passer dans les années 50, avec l'évocation de vieilles rues. Le rythme est toujours..........., sans jamais aucun .... Et l'accent est mis sur les rapports ....».

1. **véreux** : peu honête.

Détente

1 **Mots croisés pour un détective...**

1. L'heure du crime.
2. Un bon détective le contrôle toujours.
3. Il n'est pas forcément coupable.
4. Ceux qui y sont, ont fait quelque chose de mal.
5. C'est une arme qui ne laisse pas de traces.
6. Le casier judiciaire des criminels ne l'est pas.
7. Un bon détective est toujours sur ceux du coupable.
8. Quand on tire dedans, il y a beaucoup de victimes.
9. Ce jour de mars, Brutus a assassiné son père César...
10. Il y en a toujours, sur les lieux du crime.
11. Le temps l'est, quand on est condamné à perpétuité.

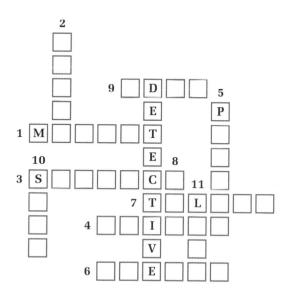

Compréhension écrite et production orale

DELF **1** Lisez la présentation de ce polar et répondez aux questions pour
UNITÉ A2   exposer le texte à vos camarades.

ON ACHÈVE BIEN LES CADAVRES de Fred Belin

Lorsque Bruno décide de quitter Paris pour s'installer à la campagne, c'est
pour trouver la paix, l'air pur, le calme...
Le voilà bientôt propriétaire de la blanchisserie de Bouilland, gros village
bourguignon de 2000 âmes.
Peu après son arrivée des disparitions et des meurtres viennent troubler la
quiétude de ce village auparavant si tranquille...
L'été arrive avec sa chaleur écrasante et son lot de touristes.
Étranges nuits d'été : les disparitions continuent, des cimetières sont
visités. La police enquête.
Étrange ambiance : tout le monde se connaît, tout le monde se suspecte,
les vieilles rancœurs font surface.
Étrange amitié : celle de Bruno et d'un infirme, avec lequel il tue le temps
en jouant aux échecs.
Mais de quels échecs s'agit-il ?

Fred Belin est né en 1963 à Dijon. Il débute sa carrière artistique comme
musicien rock dans le groupe Snipers et enregistre plusieurs albums. Sorti
d'une école de cinéma, il vit dans la région de Marseille, travaille pour la
télévision et écrit des romans, des nouvelles et des scénarios.

Le héros

1. Qui est le héros de cette histoire ?

   ....

2. D'où vient-il ?

   ....

3. Où s'installe-t-il ?

   ....

   4. Quelle est sa profession ?

   ....

   5. Avec qui se lie-t-il d'amitié ?

   ....

Le cadre spatio-temporel

6. Dans quelle région se situe l'action ? (recherchez sur un atlas la région indiquée et présentez-la géographiquement à vos camarades)

....

7. De quel type de ville s'agit-il ?

....

8. À quel moment de l'année se situe l'action ?

....

L'intrigue

9. Quel phénomène étrange vient perturber la tranquillité de cette région ?

....

10. Quels rapports y a-t-il entre les habitants du lieu ?

....

L'auteur

11. Dans quelle ville est né l'auteur ? Dans quelle région se trouve cette ville ?

....

12. Dans quel domaine il débute sa carrière artistique ?

....

13. Où vit-il actuellement ?

....

14. Comment évolue sa carrière professionnelle ?

....

5

LE MYSTÈRE S'ÉPAISSIT

J E N'EN PEUX PLUS ! Ça suffit ! Laissez-moi tranquille !»
Voilà des heures que Grasset est interrogé par ses
ex-collègues ; des heures qu'il raconte sa matinée,
qu'il parle du billet mystérieux, de son enquête.
Au début, ils ont eu bien du mal à le croire. Comment un
homme aussi intelligent que lui, avec son expérience, a-t-il
pu être intrigué par quelques chiffres sur un billet de
banque ! ? Puis on a retrouvé le chauffeur de taxi, le
propriétaire du petit pavillon où Grasset s'était rendu. Son
alibi tenait. Grasset était aussi retourné chez lui, avec les
enquêteurs, pour regarder si quelque chose manquait dans
son appartement. En fait, tout était en ordre : le peu
d'argent qu'il avait chez lui était toujours là, dans le
troisième tiroir [1] de la commode. Personne n'avait touché
aux bijoux de sa femme. Bref, le mystère demeurait entier.
Mais l'innocence de Grasset, au moins, devenait évidente.

«Bon, écoutez, vous n'avez plus qu'à signer votre
déposition [2]. Voilà... Si vous voulez, on peut vous
raccompagner chez vous.»

1. **le tiroir** : partie d'un meuble qu'on tire pour ouvrir.
2. **votre déposition** : votre déclaration.

Grasset lève ses yeux fatigués ;

«Non, je préfère marcher. Ça me fera du bien. Et pour ma femme ? Pour l'enterrement ?»

Vignot hésite un instant et lui répond : «On vous avertira... Peut-être demain... Vous savez ce que c'est...»

Oui, il sait ce que c'est... Mais jamais il n'aurait imaginé que ça pouvait être si pénible [1], qu'il pouvait être si facile d'être soupçonné d'un crime horrible.

Ce n'est qu'en rentrant chez lui, en se retrouvant seul, que Grasset réalise ce qui est arrivé. Jusque-là, il était entouré, il n'avait pensé qu'à se défendre. La nuit est tombée, il a faim. La cuisine est en désordre, le four grand ouvert, le rôti carbonisé est encore sur la table. Une profonde tristesse l'envahit. En ouvrant le frigo, il trouve une bouteille de champagne. Sa femme l'avait mise au frais... Elle aussi, elle s'était rappelé que c'était leur anniversaire : trente-deux ans de mariage, trente-deux ans de bonheur interrompu si brutalement. Les larmes lui montent aux yeux. Mais tout à coup, il regarde autour de lui, il va dans toutes les pièces de l'appartement. Mais oui, comment n'y a-t-il pas pensé plus tôt ? Les roses ! Le fleuriste ne les a pas apportées !

Grasset se précipite sur le téléphone pour appeler Vignot. Mais l'air condescendant et supérieur de ce dernier lui revient en mémoire. Ce Vignot, qui a toujours travaillé sous ses ordres, et se retrouve à sa place, seulement parce

---

1. **pénible** : difficile à supporter.

qu'il est plus jeune ! Grasset repose le combiné [1]. Il agira seul. Il lui montrera, s'il n'est pas encore capable de mener une enquête et de trouver un assassin !

Il doit faire un effort énorme pour ne pas se précipiter dans la rue, devant la boutique du fleuriste. Il fait nuit noire, tout est fermé. Il attendra demain. Demain matin, il commencera l'enquête la plus importante de sa vie, et il réussira, il en est certain, à découvrir l'assassin de sa femme.

---

1. **le combiné** : la partie du téléphone qui permet à la fois d'écouter et de parler.

Compréhension écrite

DELF **1**
UNITÉ A1 **Lisez le chapitre puis dites si les affirmations qui suivent sont vraies ou fausses.**

	V	F
1. Grasset est interrogé par ses ex collègues.	☐	☐
2. Il n'a pas d'alibi.	☐	☐
3. Dans son appartement, on ne lui a rien volé.	☐	☐
4. Grasset ne veut pas signer sa déposition.	☐	☐
5. Il veut qu'on le raccompagne chez lui en voiture.	☐	☐
6. Il est content quand il rentre chez lui.	☐	☐
7. Il constate que les roses n'ont pas été livrées.	☐	☐
8. Il ne veut pas téléphoner au commissariat.	☐	☐
9. Il va mener son enquête tout seul.	☐	☐

Grammaire

Les pronoms personnels compléments

*Ils ont du mal à **le** croire.*
*Il **leur** montrera.*
*Il travaille pour **moi**.*

- Pronoms personnels **atones**

DIRECTS	INDIRECTS
me	me
te	te
le la	lui
nous	nous
vous	vous
les	leur

- Pronoms personnels **toniques**

(après une préposition)

moi	
toi	
lui	elle
nous	
vous	
eux	elles

Attention!

- Les pronoms personnels atones se placent toujours devant le verbe dont ils sont compléments :

    *Il **lui** parle.*   *Il **le** prend.*
    *Il doit **lui** parler.*   *Il veut **le** prendre.*

- **Mais** : avec un verbe à la forme impérative affirmative, le pronom personnel atone se met après le verbe :

    *Écoute-**nous** !*

- Le pronom personnel de la première et deuxième personne (me – te) se transforme alors en (moi – toi) :

    *Regarde-**moi** ! Parle-**moi** !*

1 **Retrouvez dans le texte tous les pronoms personnels et classez-les.**

pronoms atones compléments directs	
pronoms atones compléments indirects	
pronoms toniques	

54

2 Inspirez-vous de la photo ci-contre et répondez en utilisant des pronoms.

Maigret : Avez-vous vu le suspect ?

Le juge : Oui ....

Maigret : Avez-vous parlé au suspect ?

Le juge : Non ....

Maigret : Avez-vous rencontré M. et Mme Lenoir ?

Le juge : Oui ....

Maigret : Avez-vous téléphoné aux Lenoir ?

Le juge : Non ....

Maigret : Avez-vous jugé l'affaire Lerouge ?

Le juge : Non ....

Maigret : Qui a jugé cette affaire ?

Le Juge : C'est mon collègue Martin qui ....

Maigret : Il a condamné Lerouge ?

Le juge : Oui, ...

Maigret : Avez-vous conseillé à Lerouge de plaider coupable ?

Le juge : Non, ...

Maigre : Pourquoi ?

Le juge : Parce qu'il était innocent.

Enrichissez votre vocabulaire

1 Relisez bien le chapitre, et retrouvez tous les termes ayant un rapport avec les sentiments et le portrait psychologique des personnages.

substantifs	*tristesse, bonheur ...*
adjectifs	*intelligent, intrigué ...*
expressions	*faire du bien, avoir du mal ...*

Complétez avec des mots appartenant au même champ lexical.

Intelligent, intelligence, intelligible, intelligemment ....

- Triste, ...

- Joyeux, ...

- Horrible, ...

 2 Lisez le document.

UNITÉ A2

«Au début, Maigret était assez simple. Un gros homme placide qui,
lui aussi, croyait plus à l'instinct qu'à l'intelligence, qu'à toutes les
empreintes digitales et autres techniques policières. Il en usait
d'ailleurs comme il y était obligé, mais sans trop y croire.
Il est certain que j'ai pris quelques-unes de ses manies et qu'il en a
pris des miennes. Tenez : on s'est demandé souvent pourquoi
Maigret n'avait pas d'enfant, alors qu'il en avait tellement envie.
C'est sa grande nostalgie. Eh bien, c'est parce que quand j'ai
commencé les Maigret - j'ai dû en écrire une trentaine avant d'avoir
moi-même un enfant -, ma première femme n'en voulait pas. Elle
m'avait fait jurer, avant de me marier, que je ne lui en ferai pas. Ce
dont j'ai beaucoup souffert car j'adore les enfants... comme Maigret.
Eh bien, j'étais incapable de montrer Maigret rentrant chez lui et
retrouvant un ou deux gosses[1]. Qu'allait-il leur dire, comment allait-
il réagir à leurs cris, comment ferait-il la nuit pour leur donner le
biberon, si Mme Maigret était un peu malade ? Je ne le savais pas.
Par conséquent, j'ai dû créer un couple qui ne pouvait pas avoir
d'enfant. C'est la raison. Puis j'ai avancé en âge, beaucoup plus vite
que Maigret. Théoriquement, il aurait dû partir à la retraite à
cinquante-cinq ans. Dans sa dernière incarnation, il a cinquante-trois
ans et demi, et, quand je l'ai créé il en avait déjà quarante ou
quarante-cinq. Par conséquent, il a vécu quinze ans pendant que j'en
vivais presque quarante. Alors, fatalement, je lui ai donné sans le
vouloir de mes expériences et lui me donnait de son activité.»

Interview à Georges Simenon, *Magazine Littéraire*, 1975

1. **gosse** : (n.m) enfant.

Puis répondez aux questions.

1. Ce texte

   ☐ présente un homme politique.

   ☐ présente un personnage de fiction.

   ☐ présente la création d'un personnage de fiction.

2. Complétez le tableau.

nom du personnage	caractéristiques physiques	caractéristiques morales	profession

3. Le personnage n'a pas d'enfants

   ☐ parce qu'il n'en veut pas.

   ☐ parce que son créateur n'en avait pas quand il a été créé.

   ☐ parce que la première femme de son créateur n'en voulait pas.

4. Lisez les affirmations suivantes puis dites si elles sont vraies ou fausses. Si le texte ne vous permet pas de le savoir mettez un point d'interrogation (?).

	V	F	?
a. Maigret n'est pas un homme compliqué.	☐	☐	☐
b. Il aime utiliser les techniques modernes.	☐	☐	☐
c. Il voulait avoir un garçon et une fille.	☐	☐	☐
d. La première femme de Simenon s'appelait Louise.	☐	☐	☐
e. Simenon, comme son personnage, désirait avoir des enfants.	☐	☐	☐
f. Maigret a beaucoup de manies qui appartiennent à son créateur.	☐	☐	☐
g. Simenon ne ressemble pas du tout à son personnage.	☐	☐	☐
h. Maigret n'aime pas du tout vieillir.	☐	☐	☐

Production écrite

DELF 1
UNITÉ A1

Le commissaire Grasset envoie un petit mot informel à un de ses amis et le tient au courant des événements. Il raconte son interrogatoire ... Dites-le en 60-80 mots.

Détente

1 **Derrière ces deux charades se cachent deux acteurs français qui ont souvent joué ensemble dans des films noirs.**

1. Mon premier est la première lettre de l'alphabet.
   Mon deuxième est un tissu naturel qui se froisse.
   Mon troisième est une préposition.
   Mon quatrième n'est pas court.

   Mon tout est ....

2. Sans mon premier, le monde serait vide
   Mon deuxième recouvre le corps.
   Mon troisième est un article.
   Mon quatrième, toutes les femmes voudraient l'être.
   Mon cinquième est à moi.
   Personne ne peut voir son sixième.

   Mon tout est ....

6

LE FLEURISTE

L E LENDEMAIN matin, après une nuit agitée, Grasset se
lève. Il se sent tout drôle de se retrouver seul. Sa
femme était toujours là, toujours présente,
patiente. Combien de fois elle l'a attendu, devant
la table mise ? Combien de fois elle a passé des nuits
blanches, angoissée, parce qu'elle savait qu'il menait une
enquête risquée ? C'est lui qui a choisi un métier difficile,
dangereux, et c'est elle qui est morte...

Toutes ces pensées ont agité sa nuit, l'empêchant de
trouver le sommeil ; pendant des heures, il s'est retourné
dans son lit ; puis il s'est levé, il est allé devant la porte du
bureau, et il n'a pas eu le courage de la pousser.

À quatre heures du matin, quand il venait de s'assoupir,
le camion des éboueurs [1] l'a réveillé. Alors il s'est levé
pour faire du café.

À sept heures et demie, il est déjà dehors. Quelques
commerçants ont déjà ouvert leur boutique : la boulangère,
le marchand de journaux. Le fleuriste aussi est déjà là, en
train de décharger sa camionnette, avec son commis. De

---

1. **les éboueurs** : les employés chargés du ramassage des ordures.

UN BILLET POUR LE COMMISSAIRE

l'autre côté de la rue, Grasset l'observe. Il revient sans
doute de Rungis [1]. Malgré le froid piquant, il ne porte
qu'un gilet. La cigarette à la bouche, il s'active [2] en
donnant des ordres. Sait-il quelque chose ? Grasset, qui
était resté posté derrière le kiosque pour l'observer, se dit
que c'est impossible, qu'il connaît ce commerçant depuis
toujours... Il va rentrer chez lui. Il laissera Vignot
s'occuper de l'enquête.

«Commissaire !»

Il tourne la tête. Le fleuriste vient vers lui en courant.

«Commissaire... Je suis vraiment désolé, pour votre
femme... Quand je pense que c'était votre anniversaire de
mariage ! Je vous jure, je n'en ai pas dormi de la nuit...»

Le commissaire est embarrassé ; il a horreur des
condoléances, il ne sait que dire...

«J'ai eu un choc, quand je suis venu pour apporter les
roses, hier, à deux heures, et que j'ai su... Je vais vous les
rembourser...»

Le commissaire se secoue.

«Ça ne fait rien... Je vous remercie. Excusez-moi...»

Et il s'éloigne. C'est sûr, cet homme n'est pour rien dans
cette histoire. Mais alors, qui ?

Chez lui, il tire le rideau du salon, et observe la rue. Il
voit la boutique du fleuriste... Ses mots lui reviennent en
mémoire : «je suis venu chez vous vers deux heures...» Et

---

1. **Rungis** : grand marché national, qui se trouve aux portes de Paris, et qui a
   remplacé les Halles.

2. **il s'active** : il s'affaire, il s'empresse.

pourtant, Grasset se rappelle lui avoir demandé de livrer les fleurs vers midi ! Un pressentiment, une intuition le retiennent là, derrière ce rideau. Pourquoi le fleuriste est-il venu si tard ? Sait-il quelque chose ?

Dehors, les premières clientes arrivent. Elles s'arrêtent devant la vitrine, elles se penchent [1] pour regarder les plantes. Certaines entrent. Le commerçant est aimable et souriant avec tout le monde. Les affaires apparemment marchent bien. Deux jeunes gens entrent ; ils en ressortent peu après, un bouquet de fleurs à la main. Tout est normal, désespérément normal...

Tout à coup, Grasset a une révélation. Mais non, ce n'est pas normal. Il se passe quelque chose dans cette boutique ! Quelque chose de bizarre, de grave. Il reste encore là, des heures durant. Cette fois il en est sûr, le fleuriste cache quelque chose...

---

1. **elles se penchent** : elles s'inclinent en avant.

Production orale

DELF 1
UNITÉ A1 **Lisez le chapitre puis présentez-le. Pour vous aider répondez aux questions suivantes.**

1. Que s'est-il passé avant cet épisode ? (résumez-le en une phrase)

....

2. Que fait Grasset ?

....

3. Qui voit-il ?

....

4. Que lui dit ce personnage ?

....

5. Quels mots semblent bizarres à Grasset ? Pourquoi ?

....

6. Que se passe-t-il à la fin du chapitre ?

....

Compréhension écrite

1 Relisez le chapitre et complétez le résumé.

Pendant toute la nuit, Grasset .... Il repense à sa femme, aux nuits .... Il se lève très tôt, pour .... Dehors, les commerçants ont ouvert .... Grasset observe surtout .... qui, devant son magasin, ... Grasset décide de partir, quand le fleuriste .... En rentrant chez lui, Grasset réalise que le fleuriste .... Il décide alors de l'observer. Il reste .... pendant .... À la fin, il est sûr que ....

Grammaire

Les gallicismes

> *Il venait de s'assoupir.*
> *Il va rentrer chez lui.*
> *Il est en train de décharger sa camionnette.*

- **Passé récent : VENIR DE + INFINITIF**

On utilise cette forme pour une action très proche, qui a eu lieu très récemment :

> *Le docteur n'est pas là, il vient de sortir.*

- **Futur proche : ALLER + INFINITIF**

Même si cette forme s'appelle **futur proche**, on l'emploie très souvent en français, à la place du futur, pour indiquer une action proche, mais aussi éloignée :

> *Le docteur ne peut pas vous recevoir, il va sortir.*
> *L'été prochain, je vais faire un séjour aux États-Unis.*

- **Présent continu : ÊTRE EN TRAIN DE + INFINITIF**

Cette forme est utilisée pour une action présente, qui se prolonge :

> *Le docteur ne peut pas vous répondre, il est en train d'examiner un malade.*

- Dans ces trois formes, les verbes **venir**, **aller**, **être** peuvent être conjugués à l'imparfait pour les récits au passé :

> *Je venais de sortir quand tu es entré.*
> *J'allais sortir quand tu m'as appelé.*
> *J'étais en train de travailler quand tu m'as appelé.*

1 Inventez des phrases en utilisant les trois formes de gallicismes et les verbes *parler, sortir, finir, se rendre, arriver, accuser, révéler.*

Exemple : *L'enfant est en train de parler à Maigret ....*

....

....

....

....

....

....

....

....

....

....

Enrichissez votre vocabulaire

1 Essayez de définir les noms de métiers que l'on retrouve dans ce chapitre.

Le fleuriste vend des fleurs.

Le commis ....

L'éboueur ....

La boulangère ....

Le marchand de journaux ....

2 Lisez le texte et répondez aux questions.

Maigret et l'homme du banc

Dans une impasse, Louis Thouret est retrouvé assassiné d'un coup de couteau. Chargé de l'enquête, Maigret reconstitue les dernières années de la vie de la victime, non sans aller de surprise en surprise. Louis Thouret était magasinier ; sa femme, dont les sœurs avaient épousé des fonctionnaires, le lui reprochait assez. À tel point qu'il n'osa pas lui avouer qu'il avait été licencié, préférant, chaque jour, lui faire croire qu'il partait au travail. Louis Thouret passait une partie de ses journées sur un banc du boulevard Saint-Martin, vivant grâce à des prêts d'anciens collègues compréhensifs. C'est là qu'il fit la connaissance d'un cambrioleur et qu'à deux, ils décidèrent d'opérer dans les grands magasins du boulevard. Chaque mois, il pouvait rapporter "l'argent du ménage". Maigret découvrira que la fille Thouret et son amant étaient au courant de cette double vie et qu'ils en profitaient pour le faire chanter et lui extorquer de l'argent.

1. Quelle est la profession de Maigret ?
   ....

2. Quelle était la profession de la victime ?
   ....

3. Quelle est la profession des beaux-frères de la victime ?
   ....

4. Qu'est-il arrivé à la victime dans sa vie professionnelle ?
   ....

5. Qui aidait la victime ?
   ....

6. Quelle est la profession du nouvel employeur de Thouret ?
   ....

7. Que faisait la fille de la victime ?
   ....

Production écrite

DELF 1

UNITÉ A1
Grasset envoie un mél à un ami, il lui fait part de ses doutes. Dites-le en trois lignes.

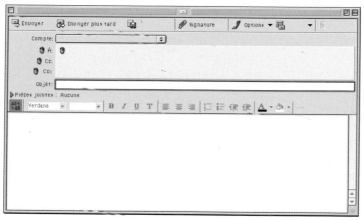

Détente

1 Le bouquet mystérieux : des fleurs se cachent dans cette grille... Retrouvez-les. Les lettres inutilisées vous donneront le nom de trois grands ennemis des fleurs...

ARUM   IRIS   MUGUET

TULIPE   ASTER   LILAS

ŒILLET   YUCC

COUCOU   LISERON

PENSÉE   CROCUS

LOTUS   ROSE

GLAÏEUL   LYS   SOUCI

A	L	T	U	L	I	P	E	E	O
S	R	G	L	A	Ï	E	U	L	E
T	F	U	C	O	S	O	U	C	I
E	R	C	M	R	T	O	I	D	L
R	U	C	R	O	C	U	S	I	L
Y	P	E	N	S	E	E	S	L	E
A	S	G	R	E	E	E	L	E	T
L	I	L	A	S	R	L	A	N	E
I	R	Y	C	O	U	C	O	U	G
E	I	S	N	M	U	G	U	E	T

UN TRAFIC LOUCHE[1]

DEPUIS qu'il surveille le magasin, Grasset a vu au moins une trentaine de clients s'arrêter et entrer. Parmi eux, une dizaine est ressortie... le même bouquet à la main. C'étaient des jeunes, certains portaient des jeans rapiécés, il y avait des filles, mais aussi des hommes en complet veston... Mais ils avaient tous la même manière plutôt étrange de porter leur bouquet : en général, quand on achète des fleurs, on les porte délicatement, avec précaution. Eux, non... Grasset soupçonne quelque chose... Mais qu'est-ce qui peut bien se cacher dans ces bouquets ?

Il irait bien en acheter un... mais c'est impossible, le fleuriste aurait la puce à l'oreille [2]. Alors, Grasset prend sa décision : ce soir, il va reprendre du service. Il va filer [3] le fleuriste !

À six heures du soir, il est dehors. Il a sorti sa voiture du garage. Il attend.

---

1. **louche** : suspect, bizarre.
2. **avoir la puce à l'oreille** : se méfier, se douter de quelque chose.
3. **filer** : suivre quelqu'un sans se faire voir.

Le fleuriste baisse le rideau de fer de sa boutique. Il se met au volant de sa camionnette ; aussitôt Grasset démarre. Il n'est pas habitué aux filatures en voiture : quand il travaillait, il avait toujours un collègue qui conduisait. Cette fois, il doit tout faire tout seul : faire attention de ne pas se faire coincer aux feux rouges, ne pas perdre la camionnette de vue, mais ne pas la serrer de trop près... C'est tout un art !...

Ils sont maintenant sortis de Paris, ils ont pris le périphérique. La camionnette met son clignotant à droite ; Grasset en fait autant. Les voilà sur une petite route, où peu de voitures passent. Il faut tenir les distances, s'il ne veut pas être repéré [1].

La camionnette ralentit. Grasset s'arrête et éteint ses phares. Il entend une portière claquer. Le fleuriste a dû descendre. Grasset sort de sa voiture et avance à pied. Il fait nuit noire, une nuit glaciale. Il avance prudemment, essayant de percer l'obscurité. Il est maintenant à la hauteur de la camionnette. Il aperçoit une faible lumière sur sa gauche. C'est un vieux bâtiment, une sorte d'entrepôt.

Il s'arrête juste sous la fenêtre. Il doit absolument voir ce qui se passe à l'intérieur. Lentement, il se relève. C'est bien ce qu'il soupçonnait : sur une table, un sac rempli de poudre blanche, une petite balance. Autour de la table, trois hommes, le fleuriste et deux inconnus, sont en train

---

1. **repéré** : découvert, remarqué.

de préparer des doses de drogue. Ils pèsent un peu de poudre blanche, en mettent une dose infime dans de petits sachets. Ils travaillent en silence.

Grasset est abasourdi. Le fleuriste, son voisin, qu'il croyait si bien connaître, qu'il salue tous les matins, est un

trafiquant de drogue ! Il commence à comprendre. Il se sert de sa boutique pour écouler la poudre. Mais comment s'y prend-il ?

Que faire ? Tout seul, Grasset ne peut rien tenter. Il décide donc de rentrer à Paris, d'avertir Vignot. Mais tout à coup, il pousse un cri de douleur et il tombe par terre, sans connaissance.

Compréhension orale

1 Écoutez le document puis complétez le texte avec les mots suivants (attention, certains mots peuvent être utilisés deux fois).

> énigme   terme   noir   polar   roman policier
> roman   France   policier   film

Le terme «........» est né en ....dans les années 1970 de «..........» et d'un suffixe argotique pour désigner un ....policier puis, plus généralement, un film ou un ....policier. Il peut être employé comme ....générique englobant les termes plus spécifiques «................» (apparu en .... en 1890), «roman à ....», «roman ....» ou «hard boiled», «roman à suspense», «néo- ....», etc..., qui correspondent à différentes formes du genre.

Compréhension écrite

DELF **1**
UNITÉ A2

Lisez le chapitre, puis répondez aux questions ou cochez les bonnes réponses.

1. Les clients qui sortent de chez le fleuriste ont tous

   ☐ le même accent.

   ☐ le même bouquet.

   ☐ le même chapeau.

   ☐ le même vélo.

2. Comment sont-ils habillés ?

   ....

3. Grasset ne peut pas aller chez le fleuriste

☐ parce qu'il pourrait s'enfuir.

☐ parce qu'il pourrait partir.

☐ parce qu'il pourrait se méfier.

4. Que fait alors Grasset ?

....

5. Dehors il fait

☐ chaud   ☐ nuit   ☐ froid

6. Que voit alors Grasset ?

....

7. Que comprend Grasset ?

....

Grammaire

La forme négative

> *Il **ne** mange **pas**.*
> Sujet + **ne** +verbe + **pas**

- Quand le verbe est à un temps composé :

  Sujet + **ne** + auxiliaire + **pas** + participe passé
  *Il **n'a pas** mangé. – Il **n'était pas** venu.*

- L'infinitif négatif :

  ne pas + verbe
  *Pour **ne pas** grossir, tu **ne** dois **pas** manger.*

- À la place de **pas**, on peut trouver d'autres adverbes ou pronoms de négation :

  plus, rien, jamais
  *Il **ne** lit **jamais**. – Je **ne** veux **rien**. – Je **ne** t'aime **plus**.*

1 Recherchez tous les verbes à la forme négative dans le chapitre, et soulignez les.

2 Lisez le document suivant puis répondez négativement aux questions.

Utiliser Internet avec les élèves

Séquence : Découvrir un genre particulier : le roman policier.

Séance n° 1 : Découvrir différents types de romans policiers.

Déroulement :

1. Le professeur donne les noms des sites à aller visiter aux élèves.

2. Les élèves se rendent sur ces sites pour y trouver des informations.

3. Ils répondent à des questions précises et réalisent une synthèse finale.

4. Travail imprimé et évalué par le professeur.

Remarques : pour que cette séance n° 1 soit réalisable, il faut une salle avec des ordinateurs connectés en réseau à Internet et que les élèves puissent accéder à ces outils.

1. Est-ce une interview ?

   - Non, ...

2. Les élèves doivent-ils découvrir des romans d'amour ?

   - Non, ...

3. Est-ce que les professeurs demandent aux élèves de chercher les noms des sites en utilisant un moteur de recherche ?

   - Non, ...

4. Les élèves, vont-ils visiter les sites pour télécharger des images ?

   - Non, ...

5. Est-ce que les professeurs posent des questions générales aux élèves ?

   - Non, ...

6. Le travail est-il évalué par le proviseur ?

- Non, ...

7. Les élèves peuvent-ils travailler à cette séquence à l'intérieur de leur salle de classe ?

- Non, ...

Enrichissez votre vocabulaire

1 Recherchez dans le texte les termes appartenant au champ lexical de la voiture et de la circulation.

substantifs	*voiture, garage ...*
verbes	*conduire ...*
adjectifs	*rouges ...*

Production orale et écrite

DELF 1
UNITÉ A2
Regardez la photo et dites ce qui s'est passé. Inventez le nom des personnes qui se trouvent au volant (le conducteur de la Mercedes, et celui de l'autobus). Décrivez la dynamique de l'accident, selon vous, qu'auraient dû faire les conducteurs pour l'éviter ?

DELF 2

UNITÉ A1

Vous écrivez une lettre à un(e) ami(e) et vous lui racontez l'accident de mobylette dont vous avez été victime. Heureusement, il y a eu plus de peur que de mal. Vous avez seulement quelques petites égratignures.

Détente

1 Ces mots croisés cachent... le nom de nombreux moyens de transport.

1. À 14 ans, tous les jeunes en veulent un.
2. Le Concorde est le plus prestigieux.
3. Avant, il n'y avait pas d'autre moyen pour traverser l'océan.
4. Il sert à passer d'une rive à l'autre d'un fleuve, quand il n'y a pas de pont.
5. Beaucoup de moyens de transport en ont.
6. Pour aller sur la lune.
7. Quand il n'y a pas de vent, ce bateau n'avance pas.
8. Pour voler comme les oiseaux, il en faut.
9. Adjectif possessif.
10. Coutumes.

11. Pronom réfléchi.
12. Normes Françaises.
13. Moyen de transport pour aller d'une ville à une autre.
14. C'est le contraire de lentement.
15. Pour unir.

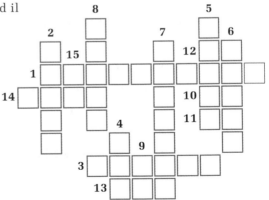

8

PRIS AU PIÈGE

GRASSET n'avait pas vu qu'un quatrième homme était de garde, dehors. Quand il reprend ses esprits, il ressent une douleur terrible à la tête. Décidément, ces bandits n'y vont pas de main morte ! Il ouvre les yeux, il voudrait se frotter la nuque, là où il a si mal... C'est impossible : il est par terre, pieds et poings liés. Les trois bandits le regardent. C'est le fleuriste qui parle le premier.

«Alors commissaire, je croyais que vous étiez à la retraite...

– C'est vous ! Pourquoi avez-vous tué ma femme ?

– Votre femme, c'était un accident, commissaire... Mais vous, pourquoi m'avez-vous suivi ? Je suis désolé, je vous trouvais bien sympathique...

– Qu'est-ce que vous allez faire ? Vous êtes fou ! On vous prendra : mes collègues vont me chercher ! Ils vous trouveront.»

Le fleuriste a arrêté de préparer les doses. Il s'approche de Grasset, qui se débat, qui essaie désespérément de se libérer de ses liens.

«On vous cherchera, commissaire, et on vous trouvera.

Mais trop tard. Vous n'allez pas supporter votre chagrin. Un suicide, commissaire. Il ne vous reste rien d'autre à faire que vous suicider. Vous allez vous pendre, commissaire...»

Les hommes ont terminé leur travail. Ils lui détachent les pieds. «Allez, debout ! Et ne faites pas le malin !»

Un bandit pointe un revolver contre lui. Deux hommes montent dans la camionnette. Le fleuriste indique à Grasset sa voiture.

«Montez, commissaire. Mais cette fois-ci c'est moi qui conduis. On va trouver une belle forêt, un bel arbre, pas ici, personne ne doit savoir que vous êtes venu ici cette nuit !»

La camionnette est partie la première. Derrière, dans la voiture, Grasset tremble de peur. Ces hommes sont déterminés, sa dernière heure est venue. Il a découvert trop de choses : un trafic de drogue, une organisation impeccable. Mais sa femme... Pourquoi ?

Ils parcourent plusieurs kilomètres. Ils sont maintenant à l'entrée d'un chemin de campagne. La camionnette s'est arrêtée. La voiture continue, encore quelques centaines de mètres.

Le fleuriste s'arrête.

«Là, c'est parfait ! Et il commence à neiger !
Décidément, on a de la chance ! On ne devra même pas
effacer les traces de pas !»

Le deuxième homme pousse Grasset hors de la voiture.
Il a une corde, il fait un nœud coulant.

«Allez commissaire. Je suis désolé. Vous auriez mieux
fait de profiter de votre retraite, de lire des livres, d'aller à
la pêche...»

Le commissaire s'avance. Il est résigné, il sait qu'il ne
s'en tirera pas. C'est vrai, il aurait mieux fait de profiter de
sa retraite. Il a cherché tous ces ennuis. S'il n'avait pas été
intrigué par ce billet. S'il n'avait pas voulu jouer les
Sherlock Holmes... Sa femme serait encore vivante... Et
lui... lui aussi... Ils auraient pu voyager, partir.

«Mais ma femme ! Pourquoi l'avez-vous tuée ? Dites-le
moi, au moins !

— Maintenant ça n'a plus d'importance, commissaire.
Elle n'a pas souffert. Elle ne s'est rendu compte de rien.»

Ils sont au pied d'un arbre. Le fleuriste a un siège pliant,
qu'il a pris dans le coffre de la voiture : un siège que
Grasset emmenait avec lui, au cas où il aurait eu envie
d'aller à la pêche, au printemps. Il l'a mis sous l'arbre. Il a
noué la corde autour d'une grosse branche.

«Adieu, commissaire, je suis désolé !...»

Compréhension orale

1 Écoutez l'enregistrement puis répondez aux questions.

DELF
UNITÉ A1

1. Dans quelle ville a-t-on retrouvé cet homme ?
   - ☐ à Bercy
   - ☐ à Pavie
   - ☐ à Paris

2. Cet homme
   - ☐ ne se rappelle plus rien.
   - ☐ est amnésique.
   - ☐ ne se souvient de rien.

3. Cet homme
   - ☐ ne voit plus rien.
   - ☐ n'entend plus rien.
   - ☐ ne parle plus.

4. Sur sa tête il a
   - ☐ un chapeau.
   - ☐ une perruque.
   - ☐ une perruche.

2 Dites si les affirmations suivantes sont vraies (V), fausses (F) ou si l'on ne peut pas y répondre d'après les informations données (?).

	V	F	?
a. L'homme semble ne plus rien comprendre.	☐	☐	☐
b. Cet homme n'a plus de famille.	☐	☐	☐
c. Il a une blessure à la tête.	☐	☐	☐
d. Il a reçu un coup de massue sur la tête.	☐	☐	☐
e. Sa blessure a été sûrement soignée par un médecin.	☐	☐	☐
f. Sa blessure a été bien soignée.	☐	☐	☐
g. Au commissariat, on ne sait pas quoi faire.	☐	☐	☐
h. Maigret a alors l'idée de faire publier une petite annonce sur le journal.	☐	☐	☐

Compréhension écrite

DELF **1**
UNITÉ A1 **Lisez le chapitre puis écrivez le nom de la personne qui fait l'action :
le fleuriste, Grasset, une autre personne.**

Actions	Noms
1. Il s'arrête de préparer les doses.	
2. Il détache les pieds du prisonnier.	
3. Il pointe le pistolet contre le prisonnier.	
4. Il conduit la camionnette.	
5. Il tremble de peur.	
6. Il arrête la voiture.	
7. Il pousse le prisonnier hors de la voiture.	
8. Il demande pourquoi on a tué sa femme.	
9. Il met une grosse corde sur la branche d'un arbre.	

PROJET INTERNET

Faire un exposé sur le commissaire Maigret
Avec l'aide de votre professeur, lancez une recherche sur
Internet sur le commissaire Maigret. Présentez ce personnage
en vous aidant des questions suivantes :
Quel est son nom ? son prénom ?
Où et quand est-il né ?
Quelles sont ses caractéristiques physiques ?
A-t-il des signes particuliers ? lesquels ?
Quels sont ses goûts ?
Quelle est sa devise ?

Grammaire

Les pronoms relatifs simples : qui, que, dont, où

*Il voudrait se frotter la nuque, **où** il a si mal.*
*C'est moi **qui** conduis.*

- **Qui** est le pronom relatif sujet :
  *La femme **qui** travaille.*

- **Que** est pronom relatif complément d'objet direct ; on l'apostrophe devant une voyelle :
  *Le livre **que** j'ai écrit.*
  *Le livre **qu'**il a écrit.*

- **Dont** est pronom relatif complément de nom, de verbe ou d'adjectif :
  *La fille **dont** je suis amoureux.*

- **Où** est complément de lieu et de temps :
  *La ville **où** j'aimerais vivre.*
  *Le jour **où** je suis né.*

1 Relisez le chapitre et relevez les pronoms relatifs ; classez-les.

2 Complétez avec *qui, que, dont, où*.

1. L'homme .... prend le volant est l'un des malfaiteurs .... Grasset a interpellés.

2. Les enquêtes .... Grasset est le plus fier, sont celles .... il a faites en compagnie d'un collaborateur .... aujourd'hui est à la retraite.

3. Il demande au fleuriste .... il a vu par la fenêtre s'il n'a pas remarqué un traffic assez louche.

4. Il ne veut pas parler à son collègue Vignot .... lui pose des questions stupides et .... il n'a d'ailleurs jamais apprécié.

5. Le jour .... il a pris sa retraite, sa femme ....
l'attendait depuis deux heures déjà lui a annoncé qu'elle voulait faire le voyage .... ils ont toujours rêvé.

6. Grasset n'espérait pas trouver une solution aussi rapidement car son instinct .... le trompe rarement l'avait averti du danger .... il courait mais .... il n'était guère conscient.

7. Les fleurs .... Grasset n'avait pas trouvées chez lui, ont été le point de départ d'une enquête .... s'est révélée très compliquée, et le numéro de téléphone .... il avait trouvé sur le billet n'avait rien à voir avec tout cela.

8. Sans Grasset, la vie au bureau n'était plus celle .... ils avaient connue. Le commissaire .... n'a jamais été très tendre, était aimé de tous ses hommes .... il avait une profonde estime.

Enrichissez votre vocabulaire

1 **Retrouvez dans le chapitre tous les mots ayant un rapport avec la violence.**

substantifs	*douleur ...*
adjectifs	*terrible ...*
verbes	*tremble de peur ...*

Production orale et écrite

 1 Lisez l'extrait de cet article paru sur *Corse matin*.

UNITÉ A2

La sécurité routière en phase répressive

La nouvelle politique intransigeante engagée par l'État vise à provoquer une rupture dans les comportements des automobilistes pour que cesse l'hécatombe.

En dix ans, il y a eu 213 accidents mortels causant la mort de 232 personnes en Corse-du-Sud. Ces chiffres, déjà importants, ne donnent peut-être pas l'exacte réalité d'une image, qui risque d'être plus sombre encore. En effet, les décès survenus plus de six jours après l'accident n'entrent pas dans ces calculs. Un quart des tués sont des jeunes de moins de 25 ans. Donc, le traumatisme subi par des centaines de familles, devant ce drame humain inattendu, est terrible.

Depuis 1992, le nombre de décès n'a pas diminué, même si l'on veut bien considérer qu'il y a davantage de véhicules sur les routes.

Les campagnes de prévention à la télévision se succèdent depuis des années, des plus soft aux plus insoutenables, sans résultats significatifs.

Préparez sa présentation ; pour vous aider utilisez ce questionnaire.

1. De quel genre de document s'agit-il ? (publicité, lettre, etc...)
2. Pourquoi a-t-il été écrit ? À qui s'adresse-t-il ?
3. Quel message veut-il délivrer ? Quel problème soulève-t-il ? Quelles informations sont données ? Comment ce document se termine-t-il ?
4. Quelle est votre réaction en le lisant ? Que faudrait-il faire selon vous ?

2 Écrivez un mél à une association qui milite contre la violence routière. Vous voulez vous y inscrire : donnez nom, adresse électronique et adresse de votre domicile.

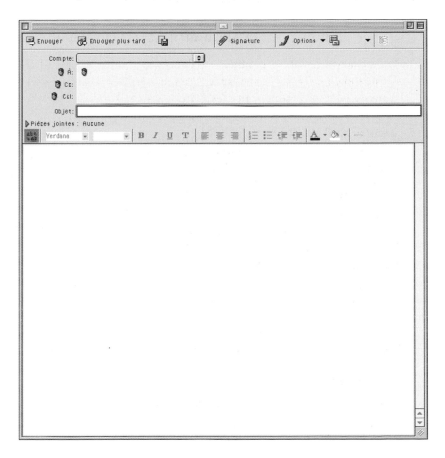

9

TOUT EST CLAIR

GRASSET se débat, dans un ultime sursaut [1]; le fleuriste et son complice le soulèvent de force. Tout à coup, la forêt s'illumine, comme en plein jour.

«Police, que personne ne bouge !»

L'ordre a été si subit que les deux malfaiteurs n'ont pas le temps d'esquisser [2] un seul geste. Deux policiers les ont déjà maîtrisés.

Grasset pousse un cri :

«Vignot ! Qu'est-ce que vous faites ici ? !

— Bonne question, commissaire ! Et vous ? Vous êtes content de me voir, cette fois-ci ?»

Vignot serre la main tremblante de Grasset, qui ne le lâche plus...

«Mais expliquez-moi... Comment avez-vous su ?

— Je vous surveillais, commissaire... je savais bien que vous feriez quelque chose, que vous chercheriez l'assassin... Moi aussi, j'ai de l'intuition, quand je veux...

1. **un sursaut** : en général un mouvement brusque et involontaire.
2. **esquisser** : commencer, amorcer.

UN BILLET POUR LE COMMISSAIRE

Allez, tout le monde au poste, cette fois-ci, on va s'expliquer !...»

Au petit matin, en rentrant chez lui, Grasset repense à toutes les révélations de la nuit. Il sourit, à l'idée qu'il a attendu d'être à la retraite pour découvrir un immense trafic de drogue qui se déroulait depuis des mois sous son nez, sous sa fenêtre !...

Ainsi, le fleuriste avait tout avoué, tout expliqué. Oui, il avait organisé un trafic impeccable, sous le couvert de son magasin. Comme tous les fleuristes, il donne avec chaque bouquet un petit sachet contenant de la poudre blanche, une sorte d'engrais [1] à verser dans l'eau, pour faire tenir les fleurs plus longtemps. Lui, dans ces sachets, il écoulait de la drogue... Pour se faire reconnaître, ses clients «particuliers» n'avaient qu'à dire un mot de passe [2], une phrase conventionnelle. Ils payaient, et ils ressortaient avec un bouquet banal... mais surtout avec le sachet empoisonné.

«Mais ma femme ? Pourquoi ?» Grasset avait hurlé sa question, cette question à laquelle il cherchait une réponse depuis deux jours. Et cette fois, le fleuriste avait tout raconté...

Il était venu livrer le bouquet de roses, vers midi comme convenu. Elle admirait les fleurs, leur parfum ; elle bavardait, elle avait commencé à enlever la cellophane qui

---

1. **un engrais** : un produit qui fertilise le sol.
2. **un mot de passe** : un mot convenu pour qu'on les laisse passer.

les entourait... Elle avait pris le sachet... Et le fleuriste
s'était aperçu qu'il lui avait donné non pas un sachet
d'engrais, mais un sachet contenant la drogue ! ! ! Elle, elle
bavardait :

«Mais dites-moi, qu'est-ce qu'il y a dans ces sachets ?

— Je ne sais pas, une sorte d'engrais...

— Mais c'est une poudre miracle ! La dernière fois, mes
roses ont tenu plus d'une semaine ! Moi qui adore avoir
des fleurs à la maison... Si je savais ce que c'est, je pourrais
en acheter...

— Je ne sais pas exactement... on dit que c'est une sorte
d'aspirine...»

Madame Grasset s'était mise à rire :

«De l'aspirine pour les fleurs ! Ce
n'est pas possible ! Tenez, je
pourrais le faire analyser, pour
savoir... Je suis sûre que si je
demandais à mon mari, ses
collègues du labo le feraient...»
Le fleuriste avait pâli. Le
téléphone avait sonné dans le bureau.
Elle était allée répondre. C'était Vignot qui appelait
Grasset, pour le mystérieux billet. Le fleuriste l'avait
suivie. Et dès qu'elle avait posé le combiné, il l'avait
frappée avec un gros cendrier, une seule fois, sur la nuque...

Puis il avait repris ses roses, la cellophane, le sachet de
poudre. Il était revenu vers deux heures, et il avait fait
semblant de vouloir livrer les roses.

UN BILLET POUR LE COMMISSAIRE

Après avoir écouté ces aveux, le commissaire, ému, avait serré très fort la main de Vignot.

«Merci, Vignot, et bonne chance… Je vous laisse ma place… sans regret… je ne pourrais plus jamais faire ce métier.»

Il était triste : sa femme était morte pour rien, pour quelques mots anodins. Il voulait partir, être seul, enfin, avec son chagrin.

«Attendez, Monsieur Grasset ! Ne partez pas ! Je dois vous dire quelque chose… Votre femme… Elle vous attend !»

Grasset dévisage [1] Vignot avec stupeur :

«Quoi ? Qu'est-ce que vous racontez ? Vous êtes fou ?

– Non, commissaire ! Elle n'est pas morte ! Elle était dans le coma. On a menti, pour l'enquête, et puis parce qu'on avait peur que l'assassin ne revienne. Elle est sortie du coma cette nuit. Elle va s'en sortir [2], commissaire ! Elle vous attend ! Venez, je vous accompagne à l'hôpital…»

---

1. **il dévisage** : il regarde avec insistance.
2. **s'en sortir** : être sauvé.

Compréhension orale

1 **Voilà les différents témoignages des personnages de cette histoire. Écoutez-les.**

DELF

UNITÉ A1

a. Écoutez une première fois et dites dans quel ordre les témoignages des personnages sont apparus.

☐ Le fleuriste

☐ Madame Grasset

☐ Monsieur Grasset

☐ Vignot

b. Écoutez une deuxième fois et retrouvez les sentiments des différents personnages.

> il/elle est soulagé(e)   enthousiaste   orgueilleux (euse)
> méfiant(e)   bouleversé(e)   pessimiste   content(e)

Le fleuriste : ....

Madame Grasset : ....

Monsieur Grasset : ....

Vignot : ....

c. Quelle leçon ont-ils tirée de cette histoire et quelles réflexions ont-ils ?

> il/elle éprouve du regret   il/elle constate qu'il/elle a été à la
> hauteur de la situation   il/elle n'a qu'une envie celle de partir
> il /elle fera attention à l'avenir   il/elle sait qu'il/elle a mal agi
> il/elle n'aime pas le lieu où il/elle se trouve   il/elle sait que
> pourtant il/elle ne peut pas généraliser.

Le fleuriste : ....

Madame Grasset : ....

Monsieur Grasset : ....

Vignot : ....

Compréhension écrite

DELF **1**

UNITÉ A1 **Relisez ce dernier chapitre et dites si les affirmations suivantes sont vraies ou fausses.**

	V	F
1. La police arrive au moment où le fleuriste et son complice sont sur le point de tirer sur Grasset.	☐	☐
2. Vignot surveillait Grasset.	☐	☐
3. Le fleuriste n'a pas voulu parler.	☐	☐
4. La poudre blanche que le fleuriste mettait dans tous les bouquets était de l'aspirine.	☐	☐
5. Mme Grasset voulait donner la poudre à analyser.	☐	☐
6. Le fleuriste a tenté d'étrangler Madame Grasset.	☐	☐

Grammaire

L'accord du participe passé

> *Elle était allée répondre.*   *Le fleuriste l'avait suivie.*
> *Le fleuriste avait pâli.*

Les règles d'accord du participe passé sont complexes. Nous ne vous donnons pour commencer que les règles essentielles :

- Avec l'auxiliaire **être**, le participe passé s'accorde avec le sujet :
  Marie est tombée.   *Mes parents sont sortis.*

- Avec l'auxiliaire **avoir**, le participe passé s'accorde avec le complément d'objet direct, seulement si ce dernier se trouve avant le verbe :

  J'ai rencontré mes amis.   *Je les ai rencontrés.*

- Avec les verbes réfléchis, le participe passé s'accorde avec le sujet :
  Elle s'est lavée.

Mais l'accord ne se fait plus si le verbe est suivi d'un complément d'objet direct :

> *Elle s'est lavé les mains.*

1 Relisez le chapitre et relevez les participes passés ; expliquez pourquoi ils sont accordés ou non.

2 Faites l'accord du participe passé si nécessaire.

La pilule de l'oubli

HISTOIRE

Tandis que Nadine et Vincent recherchent les parents d'un autiste, Bernard enquête sur un mystérieux cambriolage.

RÉSUMÉ

Une femme avertit la P.J qu'elle a entendu... du bruit et des cris chez ses voisins. Envoyé.... sur les lieux avec un serrurier, Nadine et Vincent y découvrent un jeune garçon attaché....sur un siège. Terrorisé... par les deux policiers, le garçon ne parle pas. Les papiers que Nadine a trouvé..... dans l'appartement sont en fait un dossier médical sur un certain Stéphane Wilmart, 25 ans, souffrant d'autisme.

Sandrine Flamand vient porter plainte au commissariat pour cambriolage. Elle pense qu'un jeune homme, qu'elle a rencontré.... la veille au soir dans un bar, l'a drogué..... puis emmené.... dans son appartement. C'est à son réveil qu'elle a constaté.... la disparition de certains objets que sa grand-mère lui a laissé..... à sa mort.

D'après *TéléStar*

3 Faites l'accord du participe passé si nécessaire.

1. Les indices que le commissaire a découvert .... n'ont pas servi à grand chose.

2. Les indices, découvert .... par le commissaire, seront de grande utilité pour l'enquête.

3. Ces indices, le commissaire les a découvert .... en menant son enquête.

4. Le commissaire a découvert .... ces indices en menant son enquête.

5. Quels indices, le commissaire a-t-il découvert .... en menant son enquête ?

6. Pourquoi le commissaire n'a-t-il pas utilisé .... les indices qu'il a découvert .... durant son enquête ?

7. La coupable s'est livré .... à la police, hier matin, elle a immédiatement été arrêté .... puis transféré .... à la Santé.

8. Les dossiers que l'avocat a préparé .... sont très compliqués car les clients sont impliqué .... dans des affaires louches.

Enrichissez votre vocabulaire

1 **Relisez le chapitre et retrouvez les mots concernant la drogue.**

substantifs	*drogue...*
adjectifs	*mortelle...*
verbes	*écouler...*

2 **Complétez l'article à l'aide des mots suivants.**

santé   drogue   tabac   éducation
toxicomanie   cigarettier   fumer

Les taxes sur le ....peuvent encore augmenter.
À l'occasion de sa visite à la Mission interministérielle de lutte contre la ....et la ....(Mildt), mardi 8 janvier, Jean-François Mattei, ministre de la ...., s'est déclaré «scandalisé de voir que la loi Évin n'est pas respectée dans l' ....nationale. ....doit être interdit dans les lycées et les collèges car ce sont des lieux publics». M. Mattei a rappelé qu'à l'époque, il avait «soutenu Claude Évin dans son combat».
Évoquant la hausse des taxes sur le..............., allant jusqu'à 18 % d'augmentation, M. Mattei a indiqué avoir refusé de suivre certains parlementaires qui souhaitaient monter jusqu'à 20 %. Mais, apprenant que le principal .... avait alors choisi de baisser ses profits pour maintenir ses prix, le ministre a souligné que de futures augmentations restaient donc possibles.
d'après *Le Monde*

DELF

UNITÉ A1

Après avoir lu l'article présentez-le en vous inspirant des questions suivantes.

1. De quel genre de document s'agit-il ? (publicité, lettre, etc...)

2. Pourquoi a-t-il été écrit ? À qui s'adresse-t-il ?

3. Quel message veut-il délivrer ? Quel problème soulève-t-il ? Quelles informations sont données ? Comment ce document se termine-t-il ?

4. Quelle est votre réaction en le lisant ? Que faudrait-il faire selon vous ?

Tableau de correspondance
Cadre européen – DELF

Niveau de référence du cadre commun européen	DELF	DELF scolaire	Savoir-faire
A1 Niveau introductif (Breakthrough)	Unité A1	=	Compréhension orale et écrite Expression orale et écrite
A2 Niveau intermédiaire (Waystage)	Unités A1-A2	DELF niveau 1	Compréhension orale et écrite Expression orale et écrite
B1 Niveau seuil (Threshold)	Unités A1, A2, A3, A4	DELF niveau 2	Compréhension orale et écrite Expression orale et écrite
B2 Niveau avancé (Vantage)	Unités A5-A6	=	Compréhension orale et écrite Expression orale et écrite
C1 Niveau autonome	Unités B1-B2	=	Compréhension orale et écrite Expression orale et écrite
C2 Niveau autonome	Unités B3-B4	=	Compréhension orale et écrite Expression orale et écrite